微波炉电磁炉

轻松料理

KU-523-733

微波炉电磁炉
轻松料理

Contents

目录

导读

摆脱传统油烟味的
新时代轻松料理

　　十年前,传统的家庭主妇从早到晚埋首在厨房中,只为张罗全家大小的三餐,蓬头垢面或满身油烟味是我们很多人对妈妈在厨房的印象;遑论早期的职业妇女在外工作一天后,拖着疲惫的身躯回到家里,仍得打起精神在最短的时间内做好香喷喷的晚餐。限于早期厨具的条件限制,常常弄得手忙脚乱,使得许多妇女视厨房如战场而望而却步。随着科技日新月异的进步,现代妇女则有电磁炉及微波炉助阵,只要熟悉烹调的诀窍,即可轻而易举地在30分钟内上菜,与早期的境况迥然不同。

　　这次,我们特别针对电磁炉及微波炉的功能及特性,设计了实用的单元篇幅,除了巨细靡遗的选购解说外,还会告诉您许多使用上的秘诀与小技巧。除此之外,我们更设计出许多道地的家常菜色,还有您意想不到的美味中西菜式,都可以利用微波炉与电磁炉轻松烹调!例如"卤大肠"、"炸酱面"、"海鲜蒸蛋"、"咖喱椰香葡国鸡"、"蕃茄芙蓉焗饭"、"酸奶柠檬蛋糕"……这对一般不喜好油烟料理、讲求方便的家庭主妇或单身贵族,未尝不是一种福音,您不妨立刻卷起袖子,与我们一同进入微波炉与电磁炉料理轻松有趣的料理世界中去吧!

功能多样化的烹饪好帮手

"微波炉"不但能使一道道美味可口的菜肴快速上桌，而且又能够保留食物的养分，使营养不至于流失太多。而微波炉到底是怎么把食物煮熟的呢？其实，大家应该都晓得，微波炉并不是以火调理，而是利用微波来加热的，也就是以2450MHz（一秒振动24.5亿次）的极超短波加热，短波在炉内一再地反射，引起食物内水分子、油脂等产生剧烈震动、摩擦，因而产生热能，借此调理食物。

简单地说，微波的利用就好像所谓的"摩拳擦掌"一样，天冷时搓搓手，温度上升就暖和多了。于是，当电源启动，便开始在瞬间摩擦生热，于是在整个烹调过程中，微波的能量就以热能而非电能的形式传送到食物上，也正因为如此，食物熟了，却完全不会有微波残留在上面；这就好像用电磁炉烧菜，食物也不会带电的道理一样。

微波加热主要是水分子的摩擦所引起，因此一般加热的温度都不会超过摄氏100℃。这样的烹调方式，和平常的炖、煮差不多，对于食物营养素的保存反而比较好，而致癌或有害物质产生的机率，也低于一般的高温（如：煎、炒、炸、烤）烹调方式。

安全便利的厨房新宠儿

"电磁炉"是利用低频（20～25KHZ）线圈之磁场，经过导磁性（铁质）锅具产生涡电流转化为热量来加热食物，因此能源效率特别高。

早期传统烧木炭方式或桌上型煤气炉煮火锅，常有因通风不良而导致一氧化碳中毒的意外发生。近年来，电磁炉与另类电热炉则以干净而安全的新形象，大举进入家电市场，成为夜市自助小火锅、厨房煎煮炒炸炉具、烧开水泡茶待客的宠儿。虽然电磁炉与电热炉的加热速度略慢于煤气炉，但在携带式煤气炉意外气爆频传下，电磁炉仍是较安全且可靠的加热工具。

电磁炉是以磁感应使炊具产生热，所以不是所有的锅子或是器具都适用。既然如此，要如何选用适用的锅具呢？方法很简单，只要锅底能吸住磁铁的就能用。适合放在电磁炉上的烹饪器具有不锈钢锅、不锈钢壶、平底锅、彩色锅；不适用的有陶锅、陶磁壶、"圆底"铁锅、耐热玻璃锅、铝锅、铝壶。

常见的种类及介绍

产品图片提供／尚朋堂股份有限公司

微电脑式电磁炉：

★ 1～99 分定时关机

★ LED 字幕显示

★ 260～1300 瓦九段火力选择

★ 50℃～200℃九段定温（保温）设定

★ 锅质自动检知安全系统

★ 过温保护装置

★ 安全保险装置及保护电路设计

★ 外观尺寸：长 320 ×宽 290 ×高 61（mm）

◎ 市面上另有一种黑晶炉（或叫电晶炉），输出功率比一般电磁炉高，加热时间相对可以缩短许多；它还有另一个好处是，可以直接看到内部的炉火，除了可以确认是否处于加热状况外，亦可用来确认加热的强度。

厨房专用型电磁炉：

★ 5 分钟～2 小时定时关机

★ 35℃～225℃定温(保温)控制

★ 50～1700 瓦二十段火力选择

★ 锅质、不当使用、故障之全功能自动检知系统

★ 过温保护装置

★ 安全锁住键功能

机械式电磁炉：

★ 400～1300 瓦无段功率调整

★ 40℃～220℃定温（保温）装置

★ 锅质自动检知安全系统

★ 无段式开关

★ 过温保护装置

★ 安全保险装置及保护电路设计

★ 外观尺寸：长 320 ×宽 290 ×高 61（mm）

电磁炉的清洁 & 保养

1 电磁炉不宜长时间使用，每次使用后应该清理干净，干燥后才能封包收纳。

2 陶瓷平盘变黄或脏污时，可使用湿抹布直接擦拭，也可用沙拉脱、去污粉刷拭后，再以湿抹布擦拭。

3  机体及控制面板脏污时，请以柔软的湿抹布擦拭，千万不可使用丝瓜络等硬质清洁用具；不易擦拭之油污可用中性清洁剂擦拭后，再以湿抹布擦拭干即可。

4 千万不要将电磁炉翻倒过来以水冲洗，这样水滴会经由细缝进入炉内，附着在电路板上而导致触电或故障！

5 保养时务必关闭电源，待机体完全停止运作后再进行保养。

不同种类的微波炉、电磁炉，差异通常在于输出功率及按键方式（机械式或触控式），下面将介绍几种一般家庭中较常使用到的微波炉与电磁炉，让大家了解一下各类型的机种究竟有什么差异。

机械式微波炉：

★ 六段功率调整
★ 特殊旋转设计及按键式炉门开关
★ 30 分钟定时装置
★ 容量：17 升
★ 微波输出功率：700 瓦
★ 微波消耗功率：1200 瓦
★ 玻璃转盘：直径270mm
★ 外观尺寸：宽458 ×深370 ×高295（mm）
★ 净重：13.7 公斤

◎ 我们常去的便利商店所使用的微波炉，是属于商业用的类型，输出功率高达 1400 瓦，所以加热时间会比一般家中的微波炉来得短，在效率上也会高许多。

微电脑控制型微波炉：

★ 十段火力调节
★ 快速烹调 / 解冻键
★ 预约 / 定时 / 记忆键
★ 儿童安全保险锁
★ 容量：28 升
★ 微波输出功率：800 瓦
★ 微波消耗功率：1300 瓦
★ 外观尺寸：宽525 ×深415 ×高305(mm)
★ 净重：17.9 公斤

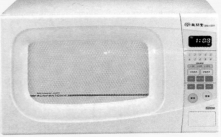

附烧烤功能式微波炉：

★ 五段微波火力调整
★ 九种料理、自动烹调
★ 自动解冻设定
★ 儿童安全保险锁
★ 二种组合烧烤功能
★ 容量：23 升
★ 微波输出功率：900 瓦
★ 消耗功率：微波－1400 瓦、烧烤－1050 瓦
★ 外观尺寸：宽508 ×深405 ×高305(mm)
★ 净重：16.5 公斤

微波炉的清洁 & 保养

1 微波炉每次使用完后，应该以柔软的抹布沾中性清洁剂或温水，擦拭门板内外及内壁、转盘等部分。

2 内部较脏时，可先加热一杯水，使内壁充满蒸气令污垢稍微软化，再用柔软的抹布擦拭，这样比较容易去除污垢。

3 微波炉内如有异味残留，可用一碗滴有柠檬汁或白醋的开水，用中低温微波加热2分钟，让蒸气充满微波炉内壁，再用柔软的抹布擦干即可除臭。

4 也可以将喝完的茶叶渣或咖啡渣放在碗中，静置在微波炉内一个晚上，同样可以去除异味。

5 微波炉要放置在通风良好的地方，避免因潮湿而产生漏电的情形；如果已有受潮现象，可以用电风扇对着排气孔吹 2 个小时，就可消除湿气。

微波炉·电磁炉 选购指南

基本的选购须知

如同许多家电产品一样，微波炉及电磁炉也越来越便宜与普及了，可是，人们对于它们的疑虑，却也多过其它的家电产品。事实上，微波也是电磁波的一种，而且微波炉有良好的防护以阻隔电磁波的外泄；即使电器的阻隔不良，造成少量的微波外泄，只要不是离炉太近，对健康是没什么妨害的。

微波炉的潜在性危险可分为磁场及微波两种，电磁炉亦潜藏着电磁辐射的危险，然而，对于消费者而言，只要谨记无论是使用电磁炉或是微波炉，保持40厘米的安全距离，就可以安心使用无虞。

此外，选购微波炉或是电磁炉首重操作面板与按键说明的中文化，如果全是看不懂的外文，即使商品再优良，也不能购买；其次应注意安全，商品检验部门的合格标志与全中文的商品标示是必备的身份证。

1 不论是微波炉还是电磁炉，最好是选购有良好声誉厂商出产的产品比较有保障。

2 依家庭居住的环境及用户本身的需求来判断机型的大小及功率。以整体的计算上来说，功率越大的反而比较省电。

3 了解所购买之机型为旋钮调校火力、温度、时间或是由电子设定程序之机型。一般的仪表板有按键式及转动式两种，转动式的仪表板较不容易损坏，故障少；然而时间的计算，通常会有一些误差；而按键式的仪表板在时间上的设定就比较精确。

4 评估自己使用的频率是否密集或比较多用于长时间使用。建议购买效率高且加热快速、煮食省时且操作方法简单易学、容易记忆之机种。

5 微波或电磁波的分布要均匀。

6 微波炉的三大功用为烹饪、加热以及解冻，而依据电力强度的不同则用途也不同。

700瓦以上的是属于全能型，可以进行生鲜食物的烹调。

650或600瓦电力的微波炉烹调时间就必须比较长。

500瓦左右，多半用于食物加热。

400瓦左右，则只能用于解冻、保温了。

7 微波炉内容积要够大，所以购买时除了考虑宽、深的容积外，高度也要记得考虑进去。

8 是否必须具备烤焗功能。消费者在购买微波炉之前，应该要先了解自己的购买用途，以免买到不适用的机型。

9 目前市面上微波炉的转盘分为两种，一种是位于内壁上方的盘架，而另一种是底部有一活动盘。以温度分布均匀而言，活动转盘的效果较好。

微波炉用荷包蛋调理器

先滴一些油，蛋打入后，用竹签在蛋黄上戳
几下，盖上盖子，加热45～120秒。

微波用马铃薯调理叉

将马铃薯戳洞后架高，即可直
接置于微波炉中加热。

好用器具百科

因为微波的原理，是以热穿透的方式，造成水分子撞击产生热量，
因此一般微波炉适用容器，最重要的是要让微波能够穿透，且耐热温度至少需达140℃。
平常使用之瓷盘（只要没有金边），大都可以使用；
金属类、上釉不全的陶器、水晶玻璃、砂锅、一般塑胶袋以及耐热120℃以下之便当盒皆不可使用。

产品提供/HANDS 台隆手创馆

微波炉用一人份炊饭器

方便一个人时，煮碗香喷喷的
白米饭。

微波焖烧汤锅

可以用来煮汤、煮饭、炖肉等。

微波炉用蒸锅

可以用来蒸较大型的食物，如
粽子、大块的肉类、鱼类等。

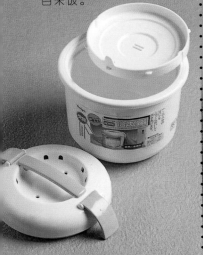

这种桧木桶

可先将木桶泡水 2 分钟，再将隔夜饭放入，微波加热后就可以吃到充满桧木香味的饭了。

微波炉用意大利面调理器

容器可测量生面条的量，只需约 15 分钟的时间，就可轻松煮出 1～2 人份的意大利面；亦可用来汆烫蔬菜。

微波蒸菜

除了可蒸小点心外，亦可做蒸蛋、蒸鱼等料理。

微波煮蛋器

需先将蛋去壳后，才可放置于容器中微波加热。

微波蒸蛋器

可以直接蒸煮整颗鸡蛋，只需在容器内加少许水，放入鸡蛋后盖上盖子，就可以用微波炉做出水煮蛋了。

微波炉

✅ 可采用的容器：

1. 有标示为微波专用的容器。
2. 耐热性高(120℃以上)的玻璃容器，通常厚度较厚，适合烹煮含油分较多的菜肴。
3. 耐热 120℃以上的塑料容器、保鲜膜与塑料袋。
4. 陶瓷制容器则以平滑无凹凸及花纹者最适合，但如果有破损或镶金边就不能使用。
5. 餐巾纸或纸杯盘等纸制容器可在温热食物时使用，但不适合长时间加热。

❌ 不可采用的容器：

1. 耐热温度低于 120℃的塑料与玻璃容器，会因高温而软化。
2. 金银铜铁与不锈钢、铝箔纸等金属制品，由于绝缘性低，微波无法穿透，而且会反射微波产生火花。
3. 木竹材质的容器会因为微波高温加热而使其本身的水分丧失，导致干燥破裂。
4. 微波无法穿透珐琅，所以珐琅制容器不能使用。
5. 漆器的漆会因微波高温加热而脱落，产生有害毒素。

微波爆米花器

可以直接用微波炉做爆米花，方便家中大人或小孩食用。

微波专用盒

可以用来作为食物的保存、蒸煮点心、烹煮料理或汤品、汆烫蔬菜之用。

珐琅锅

适合电磁炉使用，可在煮汤、煮面等烹调时使用。

微波蒸盘

可蒸小点心（包子、馒头、烧卖）、鱼。

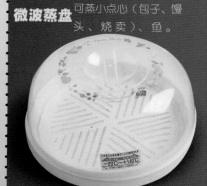

微波炉专用锅垫
用微波加热 2 分钟后，可以当保温垫使用，可以 80℃保温 30 分钟。

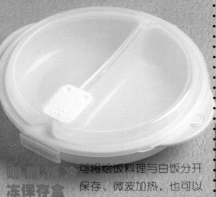

（冷藏、冷冻保存盒）
可将烩饭料理与白饭分开保存、微波加热，也可以置于冷冻库中保存。

珐琅锅
适合电磁炉使用，可以在煮汤、煮面等烹调时使用。

平底锅
适合电磁炉使用，可以用来煎、煮食物。

微波炉用耐热玻璃皿
可以用来保存食物及烹煮。

电磁炉

✅ 可采用的容器：
1. 只要具有导磁性的金属锅具如铁、铜等，均可使用（铝制、纯不锈钢制除外）。
2. 底部装有导磁性材料，如铁、铜等的电磁炉专用器具。

❌ 不可采用的容器：
1. 铝制、纯不锈钢制、玻璃等导磁性差的锅具。
2. 市售的透明玻璃壶，若无标明电磁炉适用的话，就算底部贴有金属薄片也不太能使用，因为金属片太薄，可能无法传导加热。
3. 底部严重变形的锅具。
4. 已用煤气炉煮过的锅具，因为导磁性会变得较差，所以不建议使用。

电磁炉用加热盘
可让原本无法在电磁炉上使用之器具，顺利使用电磁炉加热。

珐琅多功能蒸煮锅
适合电磁炉使用。特殊的设计，锅子除了可以分开单独使用外，也可以合在一起，作为蒸锅使用。

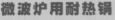

微波炉用耐热锅
可以用来烹煮、炊饭、蒸煮。

微波炉及电磁炉的
使用小秘诀

　　绝大多数的读者，因为热菜方便或是因为吃火锅的缘故，有过使用微波炉及电磁炉的经验，可是一旦要用这两种家电来做菜，使用方法上可是有大大的不同喔！

● 微波炉应该要放置在平衡而且通风的地方，预留后方至少10厘米、上方至少5厘米的空间距离，以利于排气及散热，并要远离带有磁场的各式家用电器，如钟表等，才不会互相干扰而影响了烹调效果。

● 不要将完全密封的容器或食物放进微波炉加热，例如袋装、瓶装或罐装食品，以及带皮与带壳的食品，像栗子、鸡蛋等，以免发生爆炸造成污染或损坏微波炉。应该要事先用牙签或筷子将壳去除或刺破表面的薄膜，以避免加热后引起爆裂、飞溅弄脏炉壁。

● 微波炉内没东西时绝不能使用，否则容易导致微波炉烧坏或故障。平时可以在微波炉内放置一杯有水的玻璃杯，要使用时再拿出来，以避免因空载而烧坏微波炉。

● 应该确实保护好微波炉的门板，防止因门板变形或损坏而造成微波泄漏的情况。更不能够在炉门开启的时候，试图启动微波炉，因为这是相当危险的。

● 微波炉运转时，应该尽量远离，至少距离40厘米以上，以防止万一发生微波辐射时对人体造成伤害。在操作的过程中，也应该避免将眼睛靠近观察窗进行观察，因为眼睛对于微波辐射最为敏感。

● 严禁使用金属器皿，因为放入炉内的铁、铝、不锈钢、搪瓷等金属器皿，在微波炉加热的过程中，会与容器产生电火花并反射微波，既会损伤炉体又无法顺利加热食物。

- 使用前加盖保鲜膜，可以将水汽封住使加热迅速均匀。将食物放入容器中，用保鲜膜平封，而在取出食物之前，先将保鲜膜刺破，以避免它黏到食物表面上。
- 切忌使用微波炉烹调油炸类食品，因食用油会因加热过度而飞溅导致明火。如果万一不慎引起微波炉内起火时，不要立刻打开炉门，应该先关闭电源，等到炉火熄灭后再开门做降温的动作。
- 为了去除微波炉内的异味，可用一个耐热容器装水，滴入少许白醋或是柠檬水，然后不需加盖，微波加热 1 分钟后，再使用柔软的干布擦拭炉壁四周即可。
- 如果因为烹调肉类而沾到油污，要趁热时用稀释过的清洁剂立即擦拭，然后再用清水抹净。记住通风口不要阻塞，保持通风的功能才能够延长微波炉的使用寿命。
- 一般人在使用电磁炉的时候，总是会一次把加热功率调到最大，其实这样是错误的做法。正确的加热方法，是要由小慢慢地增加到最大，这样功率电晶体才不会因承受不住而烧毁。

- 电磁炉在烧煮东西的时候，常常会因为锅子的温度过高，导致电磁炉的表面变黄或焦黑，其实使用前只要在电磁炉的表面陶板跟锅底中间放一张餐巾纸或厚的纸张，即可预防此一现象产生。
- 电磁炉是属于高耗电量性的电器，所以在使用的时候，切记远离煤气炉，插头要单独使用，不要与其他高耗电的电器同时使用，或共用同一条延长线，否则很容易因电量过高而烧掉保险丝或造成断电。
- 电磁炉表面，除了放置调理用的锅具以外，请勿放其他的物品。而锅具底部的水分应擦拭干净后，再进行加热的动作。
- 不可以将锡箔纸直接放在电磁炉表面上加热，也不可以加热空锅子，避免危险。
- 电磁炉表面若有异物，需立即用抹布拭去，保持炉面的清洁，但是不可以将整个电磁炉放在水源下冲洗，否则容易造成内部进水而故障！
- 使用电磁炉时，四周应保持 15 厘米以上的通风路径。与煤气炉也应该保持至少 50 厘米的距离才安全，尤其围炉吃火锅或长时间泡茶品茗时更应注意。此外，要等电源关掉后，才可移开炉面的锅子或茶壶。

微波炉及电磁炉的
烹调小技巧

在烹调料理的过程中，对于食材的处理或调理的步骤更有许多小技巧要注意喔！如果处理不当就很容易导致作品失败，所以建议读者在料理前务必先行读完我们所整理的烹调小技巧，相信会为您的料理大大加分喔！

● 用微波炉烹煮料理时，调味料最好在煮好后才加，因为在微波的过程中，盐会使肉类变韧，因此不宜在烹调前加盐。

● 食物放入微波炉解冻或加热后，如果忘记取出来，时间超过 2 小时以上，就应该丢掉不要，以避免引起食物中毒。

● 冰冻的食品在微波炉中进行解冻时，应该以低温慢慢解冻，否则容易造成外围被煮熟，但中心却仍然呈冰冻状态。而解冻后的食材最好立刻烹调，因为此时食物的温度多在 4℃ 以上，容易滋生细菌。

● 由于微波的功率有限，过大的食材加热后容易有生熟不均的现象。所以体积过大的食材，应该要先做分解切小块的动作（肉类 3 厘米左右，其他食品 5 ~ 7 厘米较佳）。

● 在烹煮的过程中，应该搅拌或翻转食物 1 ~ 2 次，才可以达到均匀的烹煮效果。
例如加热或烹调整只鸡、鸭、鱼等大型食物的时候，最好在加热一段时间之后，将食物整个翻面，使其各部位都可以均匀地受热。

● 在加热液态食物时，应使用宽口容器，并只要装 7 分满即可，以避免加热时所产生的气泡或滚液喷溅，造成烫伤的现象。

● 用微波炉烹煮带有外皮的食物，例如：马铃薯、香肠及蚝等，应该先用尖状物在食物表面刺破数处，或者用刀划几道，让加热时内部的水蒸气能够溢出，以避免因温度过高而产生爆裂的现象。

● 用微波炉烹饪食物时，因其蒸煮时蒸发的水分比较少，所以烹煮时，加水量只需普通烹饪的 1/3 即可。

● 使用微波炉烹饪，应尽量少用或不用浓烈的调味料（例如蒜、酒等），以免破坏食物的原味，如果必需使用，也要在食物即将出炉前再添加，才能达到最佳调味效果。

● 肉类是最适合微波烹调的食材。烹饪的时候，应该尽量使用较瘦的肉类，减少含有脂肪的比例，才能使肉类受热均匀。

● 在烹调鸡肉的时候，要注意先在鸡皮上戳几个孔，并且将鸡皮的一面朝下放置，有利均匀受热。

● 用微波炉烹煮鱼类料理时，一次不要烹调太多，最好是两片，并用小型容器盛放。
烤鸡、鸭等大型食材，往往用烤箱烤 1 ~ 2 个小时都无法完全熟透，其实可将生肉腌过后，先放入微波炉中加热至熟，再放入烤箱烘烤，既可省下大半时间，又不会产生外熟内生或内熟外焦的情形，两全其美。

● 用微波炉煎蛋时，只需将鸡蛋打散倒入平底容器，加热至边缘翘起、中间颜色变深即可。

- 用微波炉煮饭比使用一般器皿煮饭需要的水量较少，但是不会有夹生的现象。如果想使饭更为松软，可以先将白米在水中浸泡1小时；烹煮出来的饭如果太烂，可以继续加热；太硬则加水再做烹调。

- 用微波炉蒸豆腐的时候，不必添加高汤，只要放少许酒就可以缩短加热时间。若是希望豆腐更为鲜美，可以在豆腐下面铺些海带即可。

- 在水果榨汁之前，先放在微波炉中加热20～30秒，再榨的时候才能够榨出更多的汁；马铃薯先在微波炉中加热20～30秒后，去皮的时候就比较容易了。

- 盐巴受潮后，可以铺在放有纸巾的盘子上，利用微波炉加热，待冷却干燥后即可再使用。

- 将毛巾用水浸湿后拧干，再用微波加热30秒，马上就可以有热毛巾好用了。

- 抹布洗净后拧干，利用强微波加热杀菌，一块布约加热1分钟即可。

- 食材泡发：
  像是干燥香菇、金针等干货，都需要事先泡水发涨。现在只需将这些干货泡入水中，再用微波炉以中微波加热约2分钟，就会立即发涨，节省了传统泡水法所需等待的时间。

- 食材脱水：
  做芋泥时，通常是用电锅蒸熟、压泥、加料调味，但是仍会有太多的水分，此时可将芋泥放入盘中摊平，不加保鲜膜而直接微波烘5分钟，再取出拌匀；如此重复烘烤、拌匀的步骤3～5次，即可脱除多余水分，成为做点心的最佳材料。其他各种泥类也可比照料理喔！

- 制作干燥花：
  将鲜花放置在转盘上直接加热，等到变软时马上取出，稍微等一会就变成干燥花了。而柠檬或橘子皮以及其他有香味的花草，能使用微波炉的干燥机能来制作干燥成品。

- 制作薯泥：
  连皮的中型马铃薯1个，用保鲜膜完全包裹起来，用微波炉加热3分钟后静置数分钟，取出再去皮然后捣碎即可做成薯泥。

- 蒸煮玉米：
  将一条玉米用保鲜膜包裹起来，以强微波加热3分钟即完成。也可以抹上奶油再包裹保鲜膜，做成奶油玉米。

- 因为电磁炉加热时的温度升降，没有煤气炉那么迅速，因此在烹调时，应该分次加入食材，以免一次加入过量导致锅子温度急速下降后，一时无法马上回温，而增加烹调时间。

- 利用电磁炉爆香或炒菜时，应选择大一点的锅具，因为锅具太小的话，飞溅的食物与油渍就容易弄脏炉子表面，或发生烫伤的情况。

- 因电磁炉加热速度较慢，建议可使用锅底厚实、热传导功能较佳的三层锅，就能够比一般锅具节省加热时间。

- 在利用电磁炉烹调食物的过程中，加盖焖煮有助于提升热传导的速度，也可以避免料理中散失过多的水分。

- 在炖煮肉类或是汤品时，建议使用保温功能，将温度设定于90℃的保温状态，这样不但较为省电，也可避免烹煮过度。

- 使用电磁炉烹调菇类料理时，若一次加入大量的菇类于锅中的话，会导致加热速度不及而使菇类大量出水，这样就无法呈现出菇类原有的自然香味了。

40 道轻松烹调的美味料理

当你没有煤气炉，又不想出门，饥肠辘辘时，该如何以最快的方式在家中做料理？当你不想把厨房弄得脏兮兮时，当你讨厌油腻腻的感觉、受不了油烟对你的伤害、却不得不动手做料理时，该怎么让一家大小填饱肚子？

微波炉与电磁炉，这两种现今十分热门的小家电，就是最适合的替代工具。随着科技的突飞猛进，微波炉与电磁炉也跟其他电器用品一样，设计越来越精良，更方便于使用。在此，我们精心设计了 40 道美味可口的佳肴，由浅入深引领读者尝试这些新时代的料理，也希望您能够借着这本书，轻轻松松地完成每一道菜，成为一个最现代的料理家。

烩鲜菇

【材料】

冬笋	1个		
葱	1根		
姜	4片		
红萝卜	50g		
新鲜香菇	10朵		
洋菇	50g		
草菇	10朵		
罐头金针菇	80g		

【调味料】

盐	3g
酱油膏	10g
蚝油	10g
胡椒粉	5g
糖	15g
沙拉油	30ml
香油	30ml
米酒	30ml

【微波炉做法】

1. 冬笋去壳、洗净切片；葱洗净切段；红萝卜切片备用。
2. 香菇、洋菇及草菇均洗净，菇面以刀划出十字花纹备用。
3. 将调味料与葱段、姜片放入容器中拌匀，覆盖耐热保鲜膜，用强微波加热3分钟后，挑除葱段、姜片。
4. 加入冬笋片、红萝卜片及所有菇类材料拌匀，覆盖耐热保鲜膜，用中微波加热16分钟即可。

【电磁炉做法】

1. 冬笋去壳、洗净切片；葱洗净切段；红萝卜切片备用。
2. 香菇、洋菇及草菇均洗净，菇面以刀划出十字花纹备用。
3. 将调味料、葱段、葱片、水500ml倒入平底锅中拌匀，以强火加热5分钟，挑除葱段、姜片。
4. 加入冬笋片、红萝卜片及所有菇类材料拌匀，改以小火加热15分钟后即可。

榨菜肉丝

【材料】

榨菜	1/2个	蒜头	2粒
猪肉丝	150g	葱	1根
红辣椒	1个	沙拉油	15ml

【腌料】

酱油	15ml	白胡椒	适量
香油	10ml	糖	17g

【微波炉做法】

1. 榨菜切丝，泡水去除盐分；蒜头切碎；红辣椒、葱切丝备用。
2. 肉丝用腌料腌10分钟备用。
3. 沙拉油、蒜碎、辣椒丝一起用强微波加热1分钟后，加入腌好的肉丝，以强微波加热2分钟，再加入榨菜丝、葱丝，强微波加热2分半钟即可。

【电磁炉做法】

1. 榨菜切丝，泡水去除盐分；蒜头切碎；红辣椒、葱切丝备用。
2. 肉丝用腌料腌10分钟备用。
3. 平底锅加热后倒入沙拉油、蒜碎、辣椒丝，以强火加热1分钟，再加入肉丝用强火加热3分钟，再加入榨菜丝、葱丝，以强火加热2分钟即可。

烤香鸡腿

【材料】

鸡腿	4只	姜	5片
葱	2根	香油	15ml

【腌料】

胡椒粉	10g	米酒	30ml
麦芽糖	15g	蚝油	15g
红糖	15g	水果醋	30ml
酱油	30ml		

【微波炉做法】

1. 葱洗净切段；鸡腿洗净，用牙签在鸡皮表面戳些洞，放入碗中，加入葱段、姜片、腌料拌匀，腌1小时备用。
2. 在微波专用烤盘上刷油，排入腌好的鸡腿，加入香油，以强微波加热8分钟，再刷上腌料的汁，以强微波加热5分钟。
3. 将做法2的鸡腿翻面后，再刷一次腌料的汁，以强微波加热4分钟，排入盘中即可。

【电磁炉做法】

1. 葱洗净切段；鸡腿洗净，用牙签在鸡皮表面戳些洞，放入碗中，加入葱段、姜片、腌料拌匀，腌1小时备用。
2. 在盘上刷油，排入腌好的鸡腿，加入香油，再放入加有适量水的深锅中并加盖，以隔水加热的方式，强火加热20分钟后，刷上腌料的汁，再加热2分钟。
3. 将做法2的鸡腿翻面后，再刷一次腌料的汁加热2分钟，排入盘中即可。

卤大肠

【材料】

大肠	300g	水	1000ml
沙拉油	45ml		

【调味料】

酱油	150ml	蒜头	5粒
米酒	15ml	姜片	8片
香油	15ml	青葱	1根
糖	15g		

【微波炉做法】

1. 大肠洗净、切段备用。
2. 沙拉油以强微波加热1分钟后，放入大肠，改以中微波加热10分钟。
3. 取出做法2的大肠，与调味料及水1000ml拌匀，用中微波加热15分钟即可。

【电磁炉做法】

将大肠洗净切段，与所有材料、调味料一起放入深锅中拌匀，再多加水700ml，先以强火煮至沸腾，再改中火加热20分钟，最后以弱火加热45分钟即可。

海鲜蒸蛋

【材料】

A.鸡蛋·······················6个
B.虾仁·······················10只
　蛤蜊·······················10个
　鱼片·······················6片
　鱿鱼片·····················5片
C.香菜·······················适量

【调味料】

高汤·······················900ml
盐·························7g
糖·························2g
香油·······················10g
生粉水·····················15ml

【微波炉做法】

1.将蛋与调味料一起放入容器内打匀，覆盖
　耐热保鲜膜，以弱微波加热35分钟。
2.将材料B放于做法1材料之表面上，改以中
　微波加热5分钟，取出后放香菜装饰即可。

【电磁炉做法】

1.将蛋与调味料一起打匀，倒入容器内，再
　加入材料B，覆盖耐热保鲜膜备用。
2.取一深锅加入适量的水，再放入做法1的
　容器并加盖，以隔水加热的方式，用强火
　加热10分钟后焖5分钟，再放香菜装饰
　即可。

香菇烧卖

【材料】
馄饨皮·············15张
猪绞肉············200g
干香菇··············3朵
青豆仁·············50g
红萝卜·············50g

【调味料】
A.盐················5g
B.盐················5g
胡椒粉············5g
米酒············15ml
香油············15ml
葱末············15g
姜末············15g
酱油············30ml
C.白醋············5ml
水············250ml

【微波炉做法】
1. 红萝卜洗净切末，放入碗中加入调味料 A 拌匀后，挤干水分备用。
2. 干香菇泡软切末，与绞肉及调味料 B 拌匀并摔打成有黏性的馅料备用。
3. 馄饨皮各包入15g 做法 2 的馅料，由虎口处向中间捏紧成褶状，再摆上 1 粒青豆，做成烧卖。
4. 取一微波炉专用蒸笼，底部加入适量的水，蒸盘均匀抹一层沙拉油后放入烧卖，表面洒上调味料 C，以强微波加热 4 分钟即可。

【电磁炉做法】
1. 红萝卜洗净切末，放入碗中加入调味料 A 拌匀后，挤干水分备用。
2. 干香菇泡软切末，与绞肉及调味料 B 拌匀并摔打成有黏性的馅料备用。
3. 馄饨皮各包入15g 做法 2 的馅料，由虎口处向中间捏紧成褶状，再摆上 1 粒青豆，做成烧卖。
4. 在蒸盘内均匀抹一层沙拉油后，放入烧卖，表面洒上调味料 C，以隔水加热的蒸法，用强火蒸煮 15 分钟即可。

冬瓜炖鸡

【材料】
鸡腿··············2只
竹笋·············1/4个
冬瓜············700g
姜················5片
葱················1根

【调味料】
A.米酒············30ml
水············1600ml
盐··············15g
B.盐················5g
糖················5g

【微波炉做法】
1. 竹笋去壳洗净后切片；冬瓜去皮洗净后切块；姜切丝、葱切末备用。
2. 鸡腿洗净切块，放入容器中加水至刚好淹过鸡块，覆盖耐热保鲜膜，用强微波加热 5 分钟后捞出鸡块备用。
3. 将所有材料及调味料 A 放入干净容器中，覆盖耐热保鲜膜，用强微波加热 15 分钟后，加入调味料 B 拌匀，再焖 15 分钟即可。

【电磁炉做法】
1. 竹笋去壳洗净后切片；冬瓜去皮洗净后切块；姜切丝、葱切末备用。
2. 鸡腿洗净切块，放入容器中加水至刚好淹过鸡块，再加入其余材料及所有调味料，用强火加热 15 分钟后，改弱火加热 30 分钟即可。

葱油淋鸡

【材料】

鸡⋯⋯⋯⋯⋯⋯⋯⋯1/2只
沙拉油⋯⋯⋯⋯⋯⋯⋯60ml
葱⋯⋯⋯⋯⋯⋯⋯⋯⋯4根
嫩姜⋯⋯⋯⋯⋯⋯⋯2小块
高汤⋯⋯⋯⋯⋯⋯⋯100ml

【调味料】

盐⋯⋯⋯⋯⋯⋯⋯⋯⋯适量
酱油⋯⋯⋯⋯⋯⋯⋯⋯15ml
香油⋯⋯⋯⋯⋯⋯⋯⋯15ml

【微波炉做法】

1. 葱、姜洗净后切丝备用。
2. 将鸡洗净切块,与调味料一起用强微波加热6分钟,再将鸡块取出排于瓷盘中备用。
3. 沙拉油用强微波加热3分钟,再加入葱丝、姜丝、高汤,用强微波加热3分钟后,淋在做法1的鸡块上即可。

【电磁炉做法】

1. 葱、姜洗净后切丝备用。
2. 将鸡洗净切块,与调味料一起放入盐中,再放入加有适量水的深锅中并加盖,以隔水加热的方式,强火加热6分钟,再将鸡块取出,置于干净的盘中。
3. 平底锅加热后,倒入沙拉油及葱丝、姜丝、高汤,用强火加热3分钟后,淋在做法1的鸡块上即可。

酱烧百合里脊肉

【材料】

猪里脊肉…………300g　　葱…………………2根
百合………………适量　　姜…………………3片

【腌料】

胡椒粉……………5g　　生粉水……………15ml
糖…………………5g　　黄酒………………15ml
酱油………………30ml

【调味料】

糖…………………5g　　酱油………………30ml
蕃茄酱……………30g　　沙拉油……………30ml

【微波炉做法】

1. 葱1根洗净切段；里脊肉洗净后切成片状，加入葱段、腌料拌匀，腌45分钟备用。

2. 百合洗净后放入容器中，加水30ml并覆盖耐热保鲜膜，用强微波加热2分半钟后，捞出百合并沥干水分备用。

3. 葱1根切段，与姜片、调味料一起放入容器中，覆盖耐热保鲜膜，用强微波加热2分钟后，捞出葱段、姜片。

4. 加入做法1的肉片拌匀，覆盖耐热保鲜膜，用强微波波加热5分钟，再加入百合拌匀盛盘即可。

【电磁炉做法】

1. 葱1根洗净切段；里脊肉洗净后切成片状，加入葱段、腌料拌匀，腌45分钟备用。

2. 锅中加水烧开，放入百合汆烫后沥干水分备用。

3. 葱1根切段，与姜片、调味料一起放入平底锅中，用强火加热2分钟后，捞出葱段、姜片。

4. 加入做法1的肉片拌匀，以强火加热5分钟后，加入百合拌匀盛盘即可。

沙茶牛肉

【材料】

牛肉片	300g	蒜碎	7g
洋葱	1/2个	沙拉油	30ml
葱	2根		

【腌料】

水	45ml	沙拉油	15ml
沙茶酱	30g	糖	10g
酱油	30ml	生粉	15g
米酒	15ml		

【微波炉做法】

1. 牛肉片用腌料腌20分钟；洋葱洗净切丝；葱切段备用。
2. 容器中加入沙拉油，用强微波加热2分半钟，放入洋葱丝、葱段、蒜碎、再以强微波加热1分半钟。
3. 放入腌好之牛肉拌匀后，再用强微波加热4分半钟即可。

【电磁炉做法】

1. 牛肉片用腌料腌20分钟；洋葱洗净切丝；葱切段备用。
2. 平底锅加热后加入沙拉油，再加入洋葱丝、葱段、蒜碎，用强火加热拌炒2分钟。
3. 放入腌好的牛肉，再用强火加热拌炒5分钟即可。

红烧牛腩

【材料】

牛腩	600g	红萝卜	100g
白萝卜	100g		

【腌料】

糖	30g	白胡椒粉	5g
酱油	125ml	香油	15g
米酒	45ml	卤包	1包

【微波炉做法】

1. 牛腩、白萝卜、红萝卜切块后放入容器中，加水刚好淹过材料即可。
2. 加入调味料，覆盖耐热保鲜膜，用强微波加热20分钟后，取出卤包。
3. 再用弱微波加热35分钟即可。

【电磁炉做法】

1. 将牛腩、白萝卜、红萝卜切块后放入锅中，加水刚好淹过材料即可。
2. 加入调味料以强火加热10分钟，再改中火加热15分钟后，取出卤包。
3. 再用弱火加热60分钟即可。

红烧狮子头

【材料】

猪绞肉	……600g	荸荠碎	……30g
上海青	……5棵	芹菜碎	……7g
红萝卜碎	……15g		

【调味料】

A.盐	……5g	糖	……7g
糖	……5g	米酒	……5ml
米酒	……15ml	C.沙拉油	……15ml
葱末	……15g	糖	……3g
姜末	……5g	盐	……适量
麻油	……5ml	水	……100ml
B.水	……80ml	D.生粉水	……10ml
酱油	……50ml		

【微波炉做法】

1. 绞肉与调味料A充分搅拌均匀并摔打至有粘性后，做成肉丸子备用。

2. 取一容器，放入做法1的肉丸与调匀的调味料B，覆盖耐热保鲜膜，以强微波加热7分钟后取出肉丸；肉汁待凉备用。

3. 上海青洗净对半切开，加入调味料C，用强微波加热4分钟后，取出上海青排盘，再将微波加热好的肉丸置于其上。

4. 将做法2的肉汁以生粉水拌匀，用强微波加热2分半钟后，淋入做法3的盘中即可。

【电磁炉做法】

1. 绞肉与调味料A充分搅拌均匀并摔打至有粘性后，做成肉丸子备用。

2. 平底锅内加入适量沙拉油，将肉丸子煎成金黄色后，再将调匀的调味料B倒入锅中，以中火加热20分钟。

3. 上海青洗净对半切开，与调味料C一同放入1000ml之滚水中汆烫5分钟，将上海青取出沥干后排盘。

4. 将做法2的肉丸置于做法3的盘中，肉汁则以生粉水拌匀，用强火加热2分钟后，淋入盘中即可。

虾仁百页豆腐

【材料】

红萝卜·····························15g
新鲜香菇·························2朵
青豆仁·····························30g
百页豆腐·························2块
大虾仁·····························16只
沙拉油·····························15ml
生粉水·····························15ml
香油·······························适量
香菜·······························适量

【调味料】

高汤·······························200ml
盐·································5g
糖·································12g
香油·······························15ml

【微波炉做法】

1. 将红萝卜、香菇洗净后切丁，与青豆仁、沙拉油一同置入容器中，用强微波加热2分钟。
2. 将百页豆腐铺在盘上，再将做法1的材料铺在百页豆腐上，淋上调匀的调味料，以强微波加热5分钟。
3. 将虾仁铺在做法2的材料上，淋上生粉水勾芡，再以强微波加热3分半钟。
4. 最后淋上少许香油，再用香菜装饰即可。

【电磁炉做法】

1. 红萝卜、香菇洗净后切丁，青豆仁洗净备用。
2. 平底锅加热后，倒入沙拉油，再加入做法1的材料，以强火加热3分钟。
3. 将百页豆腐铺在盘上，再将做法2的材料及虾仁依序铺在盘中，淋上调匀的调味料，再放入加有适量水的深锅中并加盖，以隔水加热的方式，强火加热10分钟。
4. 将盘中汤汁倒出，以生粉水勾芡后淋于豆腐上，最后淋上少许香油，再用香菜装饰即可。

海鲜汤

【材料】

蛤蜊	200g	蕃茄	1颗
新鲜鲍鱼片	12片	洋葱	1/2个
鱿鱼片	200g	葱	1根
鲷鱼片	3片	姜	5片
草虾仁	12只	沙拉油	30ml
豌豆苗	60g		

【腌料】

A.盐	5g
生粉	5g
B.盐	3g
生粉水	15g
白胡椒粉	5g

【调味料】

A.热开水	1000ml
米酒	30ml
B.盐	5g
白胡椒粉	5g

【微波炉做法】

1. 蛤蜊加水 500ml 与盐 5g 浸泡约 1 小时，吐沙后捞出洗净；洋葱切碎；葱切段；蕃茄切丁备用。

2. 草虾仁加入腌料 A 抓拌，再以水冲净、吸干水分后，用腌料 B 腌 10 分钟备用。

3. 将洋葱碎、姜片、葱段、蕃茄丁及沙拉油放入容器内，覆盖耐热保鲜膜，用竹签戳几个小孔，以强微波加热 2 分钟取出。

4. 捞除葱段、姜片，趁热加入虾仁、鱿鱼片、鲷鱼片、鲍鱼片、蛤蜊及调味料 A 拌匀，盖上盖子（微波用），以强微波加热 4 分钟至蛤蜊壳打开后，再加入豌豆苗及调味料 B 拌匀即可。

【电磁炉做法】

1. 蛤蜊加水 500ml 与盐 5g 浸泡约 1 小时，吐沙后捞出洗净；洋葱切碎；葱切段；蕃茄切丁备用。

2. 草虾仁加入腌料 A 抓拌，再以水冲净、吸干水分后，用腌料 B 腌 10 分钟备用。

3. 取一深锅加热后，加入沙拉油、洋葱碎、姜片及葱段，以强火加热 3 分钟拌匀后，加入蕃茄再拌炒 1 分钟，捞除葱段与姜片。

4. 趁热加入草虾仁、鱿鱼片、鲷鱼片、鲍鱼片、蛤蜊及调味料 A 拌匀，以强火加热 5 分钟至蛤蜊壳全开，再加入豌豆苗及调味料 B 拌匀即可。

糖醋鱼

【材料】

福寿鱼	1尾
沙拉油	30ml

【调味料】

A.高汤	200ml
米酒	15ml
蒜碎	15g
葱	1根
姜	3片
青椒	适量
洋葱	适量
B.酱油	30ml
糖	35g
黑醋	35ml
盐	5g
香油	5ml
生粉水	15ml

【微波炉做法】

1. 鱼洗净从腹部对半切开,侧面划三刀。
2. 将调味料A的葱、姜、青椒、洋葱洗净后切丝备用。
3. 容器中加入沙拉油及调味料A,用强微波加热5分钟后,淋在鱼上,再以强微波加热5分钟,翻面再加热5分钟,将鱼取出盛盘撒上葱丝、姜丝备用。
4. 调味料B调匀,以强微波加热2分半钟,取出淋在鱼上,再用强微波加热3分钟即可。

【电磁炉做法】

1. 鱼洗净从腹部对半切开,侧面划三刀。
2. 将调味料A的葱、姜青椒、洋葱洗净后切丝备用。
3. 平底锅加热后,加入沙拉油,将鱼以中火加热3分钟后翻面再加热2分钟,至鱼两面皆呈现金黄色。
4. 另取一锅,加水500ml及调味料A,用强火加热5分钟,加入煎好的鱼及调味料B,再加热8分钟后取出,在鱼上撒上葱丝、姜丝即可。

清蒸鱼

【材料】

干香菇……2朵	红辣椒………1个
葱………1根	鲈鱼………1条
嫩姜……60g	

【调味料】

A.盐…………………………………5g
B.盐…………………………………5g
　胡椒粉……………………………5g
　姜末……………………………15g
　米酒…………………………30ml
C.胡椒粉……………………………5g
　米酒…………………………15ml
　油……………………………30ml
　淡色酱油……………………30ml

【微波炉做法】

1. 干香菇洗净泡软后切丝；葱、嫩姜、红辣椒洗净切丝，泡冷水备用。
2. 鱼去除内脏后洗净，在鱼身上斜切几刀并抹上调味料A，加入少许葱段、姜片（分量外）腌10分钟备用。
3. 将香菇丝与调味料B拌匀，覆盖耐热保鲜膜，用强微波加热3分钟后取出。
4. 在另一容器内抹上适量沙拉油，放入做法2的鱼、做法3的香菇丝及调味料C，覆盖耐热保鲜膜，用强微波加热4分钟。
5. 取出后铺上姜丝、葱丝及红辣椒丝即可。

【电磁炉做法】

1. 干香菇洗净泡软后切丝；葱、嫩姜、红辣椒洗净切丝，泡冷水备用。
2. 鱼去除内脏后洗净，在鱼身上斜划几刀并抹上调味料A，加入少许葱段、姜片（分量外）腌10分钟备用。
3. 香菇丝与调味料B拌匀，覆盖保鲜膜，放入加有适量水的深锅中并加盖，以隔水加热的方式，强火加热10分钟。
4. 盘中抹上适量沙拉油，排入腌好的鱼、香菇丝及调味料C，覆盖耐热保鲜膜，放入加有适量水的深锅并加盖，以隔水加热的方式，强火加热10分钟。
5. 最后铺上姜丝、葱丝及红辣椒丝组即可。

炸酱面

【材料】
A.沙拉油·············30ml　B.熟面条·············300g
　猪绞肉·············300g　　小黄瓜丝·········100g
　红萝卜丁············15g　　豆芽菜···········150g
　青豆仁··············15g
　豆干丁··············45g

【调味料】
甜面酱···············30g
豆瓣酱···············15g
糖··················12g
水················500ml

【微波炉做法】
1.将材料A一起放入容器中，以强微波加热2分钟，再加入调味料，以强微波加热5分钟即成为炸酱。
2.碗中放入煮好的面条，再加入小黄瓜丝及烫熟的豆芽菜，淋上做法1的炸酱即可。

【电磁炉做法】
1.平底锅加热后放入材料A，以强火拌炒2分钟后，加入调味料及水500ml，改中火煮20分钟即成炸酱。
2.碗中放入煮好的面条，再加入小黄瓜丝及烫熟的豆芽菜，淋上做法1的炸酱即可。

酸菜鸭

【材料】
鸭·················1只　　沙拉油·············30ml
酸菜···············300g

【调味料】
姜················10片　　盐················15g
高汤··············200ml　味精··············10g
米酒···············30ml

【微波炉做法】
1.将鸭洗净切块；酸菜洗净切丝备用。
2.沙拉油用强微波加热1分钟后，加入调味料及鸭肉块，用强微波加热23分钟后，再加入酸菜，改以中微波加热20分钟即可。

【电磁炉做法】
1.将鸭洗净切块；酸菜洗净切丝用。
2.将所有材料及调味料放入锅中，再多加水1000ml，先以强火煮至沸腾后，改以中火加热20分钟，再以弱火加热45分钟即可。

烧酒虾

【材料】

草虾·············400g   姜·············5片
葱·············2根   市售烧酒虾卤包·····1包

【调味料】

米酒·············300ml ｜ 盐·············5g

【微波炉做法】

1. 葱洗净切段，姜切片备用。
2. 草虾洗净，剪去虾须，背部划刀去除肠泥备用。
3. 将所有的材料及调味料一起放入容器中，覆盖耐热保鲜膜，用强微波加热 4 分半钟，取出即可。

【电磁炉做法】

1. 葱洗净切段，姜切片备用。
2. 草虾洗净，剪去虾须，背部划刀去除肠泥备用。
3. 汤锅中放入所有材料及调味料，再加水 250ml，以强火加热 10 分钟至虾子熟透即可。

香菇鸡

【材料】

鸡·············1/2只   干香菇·············10朵
姜·············12片   香油·············15ml
蒜头·············8粒

【调味料】

酱油·············15ml   ｜ 盐·············7g
米酒·············45ml   ｜ 水·············1200ml
糖·············5g

【微波炉做法】

1. 鸡洗净切块，干香菇泡水变软备用。
2. 容器中倒入香油，用强微波加热 1 分半钟，放入鸡肉、蒜头、姜片，再强微波加热 5 分钟。
3. 加入香菇及调味料搅拌均匀后，用强微波加热 15 分钟即可。

【电磁炉做法】

将所有的材料及调味料放入汤锅中，多加水 500ml，用中火加热 60 分钟即可。

大卤面

【材料】

A.沙拉油	15ml	香菇丝	15g
五花肉片	200g	B.高汤	500ml
笋丝	100g	鸡蛋	2个
红萝卜丝	50g	生粉水	30ml
木耳丝	40g	C.熟面条	300g
金针菇	20g	小黄瓜丝	20g

【调味料】

盐	10g	乌醋	10ml
糖	2g	白胡椒粉	3g
酱油	15g		

【微波炉做法】

1. 容器中加入材料A，用强微波加热5分钟。
2. 加入高汤、调味料及打散的蛋液，用强微波加热4分钟，最后以生粉水勾芡。
3. 碗中置入煮熟的面及小黄瓜丝，再倒入做法2煮好的汤料即可。

【电磁炉做法】

1. 平底锅加热后依序放入材料A，用强火加热5分钟。
2. 加入高汤及水1000ml、调味料，用强火煮至沸腾后，倒入打散的蛋液加热3分钟，最后以生粉水勾芡。
3. 碗中置入煮熟的面及小黄瓜丝，最后倒入做法2煮好的汤料即可。

回 锅 肉

【材料】

五花肉·········200g
青椒·········1/2 个
红萝卜·········30 克
黑豆干·········1 块
蒜苗·········1根
葱·········2根
姜·········4片
蒜头·········2粒

【调味料】

A.糖·········5g
　辣豆瓣酱·········7g
　甜面酱·········15g
　酱油膏·········15g
　沙拉油·········30ml
B.盐·········5g
　酒·········30ml
　水·········50ml
C.生粉水·········15ml
　香油·········3ml

【微波炉做法】

1. 青椒去籽切片；红萝卜去皮切片；蒜苗、葱洗净切段；黑豆干、蒜头切片备用。
2. 将蒜片、调味料A 拌匀，覆盖耐热保鲜膜，用强微波加热1 分半钟做成辣酱备用。
3. 五花肉洗净拭干，加入葱段、姜片及调味料B 涂抹均匀，覆盖耐热保鲜膜，用强微波加热6 分钟，翻面再用强微波加热5 分钟，取出待凉，切片备用。
4. 将做法3的肉片与做法2的辣酱放入容器中，再加入黑豆干片、青椒片、红萝卜片、蒜苗段和调味料C，覆盖耐热保鲜膜，用强微波加热4分钟，取出拌匀即可。

【电磁炉做法】

1. 青椒去籽切片；红萝卜去皮切片；蒜苗、葱洗净切段；黑豆干、蒜头切片备用。
2. 将蒜片、调味料A拌匀，用强火加热2 分半钟做成辣酱备用。
3. 五花肉切片，加入葱段、姜片及调味料B，用中火加热10分钟，淋上做法2的辣酱，再加入黑豆干片、青椒片、红萝卜片、蒜苗段和调味料C，用中火加热3分钟即可。

京都排骨

【材料】

		【腌料】	
小排骨	300g	胡椒粉	5g
洋葱片	100g	松肉粉	10g
青椒块	50g	葱末	10g
红萝卜片	25g	姜末	10g
沙拉油	30ml	水	10ml

【调味料】

香油	15ml	蕃茄酱	30g
沙拉油	15ml	糖	30g
酱油	30ml	水	120ml
玉米粉	15g		

【微波炉做法】

1. 小排骨洗净沥干，切块后加入腌料抓拌并腌1个半小时备用。
2. 沙拉油用强微波加热4分钟，放入腌好的小排骨，用强微波加热6分钟，取出翻面，再以强微波加热4分钟后取出。
3. 趁热加入青椒块、洋葱片、红萝卜片及调味料拌匀，覆盖耐热保鲜膜，用强微波加热3分钟即可。

【电磁炉做法】

1. 小排骨洗净沥干，切块后加入腌料抓拌并腌1个半小时备用。
2. 平底锅内倒入沙拉油，用强火加热2分钟，放入腌好的小排骨，改中火煎5分钟后，翻面再煎5分钟。
3. 加入青椒块、洋葱片、红萝卜片及调味料拌匀，再用强火加热5分钟即可。

豆豉排骨

【材料】

小排骨	300g

【腌料】

葱	1根
蒜头	3个
酱油	15ml
糖	10g

【微波炉做法】

1. 腌料的葱切段，蒜头切片，加入酱油、糖与洗净的小排骨腌30分钟备用。
2. 调味料的葱切末、辣椒切丝、蒜头切片，与豆豉、沙拉油一起用强微波加热3分钟。
3. 再加入排骨，改中微波加热20分钟后盛盘，放上少许葱末、红辣椒丝（分量外）即可。

【调味料】

葱	1根
红辣椒	1个
豆豉	15g
蒜头	3个
沙拉油	30ml

【电磁炉做法】

1. 腌料的葱切段，蒜头切片，加入酱油、糖与洗净的小排骨腌30分钟备用。
2. 热一锅油至180℃，放入小排骨炸5分钟至呈金黄色，捞出备用。
3. 调味料的葱切末、辣椒切丝、蒜头切片，与豆豉、沙拉油一起放入平底锅中，以强火炒香2分钟。
4. 再加入炸好的排骨，以强火拌炒5分钟后盛盘，放上少许葱末、红辣椒丝（分量外）即可。

蒜苗腊肉

【材料】

腊肉·······················190g

蒜苗························3根

【调味料】

A.红辣椒·····················1个

油·····················45ml

B.酱油·····················15ml

糖·····················15g

米酒·····················15ml

【微波炉做法】

1. 蒜苗洗净后切斜段；红辣椒洗净后切片备用。

2. 腊肉切片，与水150ml一同用强微波加热5分钟后，取出腊肉备用。

3. 将调味料A用强微波加热1分半钟后，放入蒜苗、腊肉片及调味料B拌匀，再以强微波加热3分半钟即可。

【电磁炉做法】

1. 蒜苗洗净后切斜段；红辣椒洗净后切片；腊肉切片备用。

2. 150ml的水置入平底锅中，以强火煮开，放入腊肉片汆烫5分钟，取出备用。

3. 将调味料A用强火加热2分钟，再加入蒜苗、腊肉片与调味料B拌匀，用强火加热3分钟即可。

腰果鸡丁

【材料】

去骨鸡腿肉	2只
腰果	40g
沙拉油	45ml

【腌料】

酱油	20ml
糖	10g
黑醋	5ml
香油	3ml

【调味料】

A.生粉	5g
酱油	15ml
水	60ml
盐	适量
糖	适量
白胡椒粉	3g
米酒	10ml
B.红辣椒	1个
花椒粒	适量

【微波炉做法】

1. 将去骨鸡腿肉切成丁状，用腌料腌10分钟备用。
2. 沙拉油以强微波加热1分钟后，放入腰果和调味料A拌匀，用强微波加热3分钟。
3. 再加入做法1的鸡丁及调味料B搅拌均匀，用强微波加热6分半钟即可。

【电磁炉做法】

1. 将去骨鸡腿肉切成丁状，用腌料腌10分钟备用。
2. 平底锅加热后，倒入沙拉油，再加入腰果和调味料A，以强火加热拌炒3分钟。
3. 再加入做法1的鸡丁、调味料B及高汤250ml，用强火加热5分钟至汤汁收干即可。

卷心菜肉卷

【材料】

猪绞肉	400g	卷心菜叶	4大片	葱末	15g
荸荠	5粒	红辣椒	1个	姜末	15g
干香菇	4朵	鸡蛋	1个		
红萝卜	30g	蒜末	15g		

【调味料】

A.胡椒粉	5g	葱末	15g	C.盐	5g
糖	5g	姜末	15g	沙拉油	15g
香油	15ml	B.糖	5g	酱油	30ml
酱油	30ml	盐	10g	生粉	5g
米酒	15ml	沙拉油	10ml	水	300ml
生粉	15g	酒	10ml		
蒜末	15g	水	300ml		

【微波炉做法】

1. 荸荠去皮，拍碎切末；干香菇泡软切片；红萝卜切末备用。
2. 荸荠末与猪绞肉拌匀，加入鸡蛋、调味料A，拌匀后摔打成有黏性的馅料，分成4份。
3. 卷心菜叶洗净放入容器中，加入调味料B，覆盖耐热保鲜膜，用强微波加热2分半钟后取出卷心菜叶备用。
4. 将做法2的馅料分别包入卷心菜叶，排入盘中，淋上调匀的调味料C，放上香菇片及红萝卜末，以强微波加热7分钟后，再改以中微波加热8分钟即可。

【电磁炉做法】

1. 荸荠去皮，拍碎切末；干香菇泡软切片；红萝卜切末备用。
2. 荸荠末与猪绞肉拌匀，加入鸡蛋、调味料A，拌匀后摔打成有黏性的馅料，分成4份。
3. 卷心菜叶洗净放入平底锅中，加入调味料B，以强火加热5分钟至卷心菜软化后取出备用。
4. 将做法2的馅料分别包入卷心菜叶，排入锅中，淋上调匀的调味料C，放上香菇及红萝卜末并加盖，用中火加热20分钟后即可。

芦笋牛肉卷

【材料】

牛肉⋯⋯⋯400g	生粉⋯⋯⋯30g
芦笋⋯⋯⋯400g	

【腌料】

黑胡椒粉⋯⋯5g	糖⋯⋯⋯⋯15g
芝麻酱⋯⋯⋯10g	玉米粉⋯⋯⋯15g
姜片⋯⋯⋯⋯15g	香油⋯⋯⋯15ml
米酒⋯⋯⋯15ml	沙茶酱⋯⋯⋯15g
酱油⋯⋯⋯15ml	水⋯⋯⋯⋯50ml

【调味料】

A.盐⋯⋯⋯⋯5g	B. 香油⋯⋯⋯5ml
水⋯⋯⋯80ml	

【微波炉做法】

1. 芦笋洗净切长段，加入调味料A搅拌均匀，用强微波加热2分钟后取出，以冷开水冲泡一下，沥干备用。

2. 牛肉洗净，切大片，加入腌料拌匀，腌6分钟后取出摊开，撒上生粉，再放上做法1的芦笋卷成长条状；腌汁留着备用。

3. 微波炉专用烤皿均匀抹上一层油，排入做法2的芦笋牛肉卷，用强微波加热5分钟后取出，刷上腌汁，再以强微波加热2分钟后盛盘，淋上香油与汤汁即可。

【电磁炉做法】

1. 芦笋洗净切长段，加入调味料A拌匀，放入滚水中以强火汆烫3分钟后取出，用冷开水冲泡一下，沥干备用。

2. 牛肉洗净，切大片，加入腌料拌匀，腌6分钟后取出摊开，撒上生粉，再放上做法1的芦笋卷成长条状；腌汁留着备用。

3. 平底锅内倒入适量沙拉油，排入做法2的芦笋牛肉卷，煎成金黄色后盛盘，淋上香油与汤汁即可。

酿豆腐

【材料】

传统豆腐	4块	葱末	15g
猪绞肉	225g	葱丝	15g
虾米末	15g	红辣椒丝	10g

【调味料】

A.沙拉油	15ml	B.沙拉油	15ml
酱油	15ml	水	125ml
麻油	5ml	糖	7g
胡椒粉	5g	黑醋	10ml
生粉	15g	盐	5g
		酱油	15ml
		香油	15ml
		生粉	15g

【微波炉做法】

1. 将豆腐切成4小块备用；将猪绞肉、虾米末、葱末和调味料A搅拌均匀、摔打成有粘性的肉馅备用。
2. 在4块豆腐中间分别挖成凹槽，塞入肉馅，淋上拌匀之调味料B，用中微波加热16分钟后取出。
3. 将做法2的肉汁另倒入一锅中，以适量生粉水勾芡后，淋在豆腐上，再撒野上葱丝、红辣椒即可。

【电磁炉做法】

1. 将豆腐切成4小块备用；将猪绞肉、虾米末、葱末和调味料A搅拌均匀、摔打成有粘性的肉馅备用。
2. 在4块豆腐中间分别挖成凹槽，塞入肉馅，淋上拌匀之调味料B，放入加有适量水的深锅中并加盖，以隔水加热的方式，强火蒸煮15分钟后取出。
3. 将做法2的肉汁另倒入一锅中，以适量生粉水勾芡后，淋在豆腐上，再撒上葱丝、红辣椒组即可。

酿苦瓜

【材料】

苦瓜	1条	猪绞肉	225g

【调味料】

A.盐	5g	葱末	15g
味精	5g	B.红辣椒末	15g
米酒	10ml	豆豉	15g
香油	5ml	沙拉油	15ml
生粉	5g	C.盐	5g
蒜末	5g	糖	5g
酱油	15ml		

【微波炉做法】

1. 苦瓜洗净去籽，切成圆柱状后以适量盐及生粉（分量外）涂抹均匀备用。
2. 将猪绞肉与调味料A搅拌均匀，摔打成有粘性的肉馅。
3. 将肉馅镶入做法1苦瓜内，排入刷好油之盘中，再加入调味料B及调味料C，用强微波加热15分钟即可。

【电磁炉做法】

1. 苦瓜洗净去籽，切成圆柱状后以适量盐及生粉（分量外）涂抹均匀备用。
2. 将猪绞肉与调味料A搅拌均匀，摔打在有粘性的肉馅。
3. 将肉馅镶入做法1的苦瓜内，排入刷好油之盘中，再加入调味料B及调味料C，整盘放入加有适量水的深锅中并加盖，以隔水加热的方式，用强火蒸煮15分钟即可。

罗宋汤

【材料】

牛腩	250g
红萝卜	70g
马铃薯	150g
红蕃茄	200g
洋葱	1个
西芹	1片
卷心菜	200g
蒜头	4个

【调味料】

A.沙拉油	30ml
蕃茄酱	60g
罐头蕃茄颗粒	1罐
B.盐	5g
胡椒粉	5g
月桂叶	2片
白酒	30ml
水	1800ml

【微波炉做法】

1. 牛腩洗净切块，放入微波容器中，汆烫去血水后捞出；红萝卜、马铃薯、洋葱去皮切大块备用。

2. 蕃茄放入滚水汆烫后，剥除外皮切大块；西芹、卷心菜洗净，切片备用。

3. 洋葱、蒜头及调味料A拌匀，覆盖耐热保鲜膜，用强微波加热2分半钟取出。

4. 取一微波专用炖锅，加入做法1~3的材料及调味料B拌匀并加盖，用强微波加热24分钟，取出焖15分钟，再用中微波加热40分钟即可。

【电磁炉做法】

1. 牛腩洗净切块，汆烫去血水捞出；红萝卜、马铃薯、洋葱去皮切大块备用。

2. 蕃茄放入滚水汆烫后，剥除外皮切大块；西芹、卷心菜洗净，切片备用。

3. 洋葱、蒜头及调味料A放入汤锅中拌匀，以强火加热5分钟后，再多加入做法1、2的材料及调味料B，加水700ml拌匀，用中火煮开后，改弱火加热180分钟即可。

奶油烤白菜

【材料】

大白菜	1/2个
洋葱	1/2个
熏肉	3片
奶油	15g
奶酪丝	30g
奶酪粉	15g
红葱头末	15g

【调味料】

A.沙拉油	15ml
水	30ml
糖	5g
盐	3g
B.奶油	30g
面粉	45g
高汤	175ml
鸡粉	10g
胡椒粉	5g
C.牛奶	70ml
熟马铃薯丁	30g

【微波炉做法】

1. 将大白菜的叶片剥开洗净、切大块，加入调味料 A 拌匀，覆盖耐热保鲜膜，用强微波加热 3 分钟至软备用。
2. 将调味料 B 及调味料 C 分别调匀成糊状备用；洋葱切末备用。
3. 熏肉切小块，与洋葱末及奶油一起用强微波加热 2 分钟，搅拌均匀成油糊备用。
4. 另取一容器，先将大白菜铺在底部，再加入做法 3 的材料，撒上奶酪丝、奶酪粉及红葱头末，用强微波加热 2 分钟即可。

【电磁炉做法】

1. 将大白菜的叶片剥开洗净、切大块，加入调味料 A 拌匀，再加水至淹过白菜，以强火加热 10 分钟至白菜变软后取出备用。
2. 将调味料 B 及调味料 C 分别调匀成糊状备用；洋葱切末备用。
3. 熏肉切小片，加入洋葱末以及奶油，以强火拌炒 3 分钟后，趁热加入做法 2 调匀的调味料，搅拌均匀成油糊备用。
4. 取一烤皿，先将大白菜铺在底部，再加入做法 3 的材料，撒上奶酪丝、奶酪粉及红葱头末，放入加有适量水的深锅中并加盖，以隔水加热的方式，用强火加热 10 分钟后即可。

蕃茄芙蓉焗饭

【材料】

白饭	150g
里脊肉片	50g
洋葱	1/2个
蕃茄	100g
蛋豆腐	150g
奶酪丝	40g
鸡蛋	1个

【调味料】

酱油	15ml
蕃茄酱	15g
糖	5g
生粉水	15ml
水	150ml

【微波炉做法】

1. 微波专用烤皿抹上一层奶油后，将饭平铺于上备用。
2. 洋葱切丝，蕃茄切块，与里脊肉片、调味料拌匀，用强微波加热3分钟后，备用。
3. 蛋豆腐切成条状，铺在饭的周围，淋上做法2之材料，再将鸡蛋打在正中央，撒上奶酪丝。
4. 取一深盘加入适量的水，再放入做法3的烤皿，以隔水加热方式用强微波加热3分钟即可。

【电磁炉做法】

1. 烤皿抹上奶油后，将饭平铺于上备用。
2. 洋葱切丝，蕃茄切块，与里脊肉片、调味料拌匀，再以强火加热3分钟后，备用。
3. 蛋豆腐切成条状，铺在饭的周围，淋上做法2之材料，再将鸡蛋打在正中央，撒上奶酪丝。
4. 取一深锅先加入适量的水，再放入做法3的烤皿并加盖，以隔水加热的方式用强火加热5分钟即可。

咖喱椰香葡国鸡

【材料】

鸡腿	2只	葱	1根
南瓜	500g	姜	3片
红萝卜	120g	蒜头	4个
洋葱	1/2个	沙拉油	30ml
青豆仁	30g		

【腌料】

盐	5g	糖	10g
胡椒粉	5g	酱油	15g
酒	45ml		

【调味料】

A.咖喱粉	45g	B.椰浆	70ml
水	250ml	C.奶酪粉	15g
盐	5g	椰子粉	30g

【微波炉做法】

1. 南瓜、红萝卜、洋葱切块；葱切段、蒜头切末备用。
2. 鸡腿洗净切块，加入葱段、姜片及腌料拌匀后腌40分钟，再加入水250ml，覆盖耐热保鲜膜，用强微波加热6分钟后捞出葱姜备用。
3. 南瓜块、红萝卜块分别放入容器中，各加水100ml并覆盖耐热保鲜膜，用强微波加热4分钟后，沥干水分备用。
4. 将调味料A调匀，加入洋葱块、蒜末及沙拉油拌匀，用强微波加热4分钟后，加入做法2的材料及青豆仁、调味料B拌匀，撒上调味料C，用强微波加热8分钟即可。

【电磁炉做法】

1. 南瓜、红萝卜、洋葱切块；葱切段、蒜头末备用。
2. 鸡腿洗净切块，加入葱段、姜片及腌料拌匀后腌10分钟。
3. 平底锅中倒入少许沙拉油，再加入腌好之鸡块，以强火加热拌炒10分钟至鸡肉表面呈金色备用。
4. 将南瓜块及红萝卜块分别放入滚水中，以强火余烫5分钟后，沥干水分备用。
5. 将调味料A调匀后倒入平底锅中，再加入洋葱块、蒜末、沙拉油及水400ml拌匀，以强火加热15分钟，再加入做法4的材料及青豆仁、调味料B拌匀，撒上调味料C，以弱火加热30分钟即可。

黑胡椒牛排

【材料】

菲力牛排	2块	蕃茄酱	15g
沙拉油	30ml	梅林辣酱油	15g
生粉水	10ml	糖	10g
		蒜末	10g
		洋葱丝	100g

【调味料】 (蕃茄酱...蒜末...洋葱丝)

【腌料】

水	30ml
酱油	30ml
沙拉油	15ml
黑胡椒粉(粗)	15g
月桂叶	1片
洋葱丝	50g

【微波炉做法】

1. 菲力牛排以腌料腌10分钟备用。
2. 沙拉油以强微波加热1分钟，放入腌好的牛肉后加热2分钟，翻面再加热2分钟。
3. 将调味料拌匀，用强微波加热3分钟，再加入生粉水勾芡，以强微波加热2分钟后，淋在做法2的牛排上即可。

【电磁炉做法】

1. 菲力牛排以腌料10分钟备用。
2. 平底锅加热后倒入沙拉油，放入腌好的牛肉，以弱火加热4分钟，翻面再加热5分钟。
3. 将调味料及生粉水拌匀后，以强火加热3分钟，淋在做法2的牛排上即可。

洋葱猪排

【材料】

猪里脊	2块	沙拉油	45ml
洋葱	1个		

【腌料】

酱油	45ml	黑胡椒	10g
米酒	30ml	姜末	15g
糖	5g	生粉水	15ml
盐	3g	蒜末	10g

【调味料】

梅林辣酱油	15ml	蕃茄酱	15g
酱油	15ml	水	150ml
糖	5g		

【微波炉做法】

1. 将猪里脊拍松，以腌料腌45分钟至入味备用。
2. 洋葱切丝，与沙拉油一起用微波加热3分钟，放入肉片拌匀，再以强微波加热10分钟。
3. 最后加入调味料，用强微波加热2分半钟即可。

【电磁炉做法】

1. 将猪里脊拍松，以腌料腌45分钟至入味备用。
2. 平底锅加热，加入沙拉油及洋葱丝，以强火加热3分钟后，放入肉片，改以中火加热10分钟。
3. 最后加入调味料煮至沸腾即可。

紫米燕麦莲子粥

【材料】

紫糯米……………………100g
新鲜莲子…………………50g
桂圆肉……………………30g
燕麦………………………50g
红豆………………………50g
花生………………………50g

【调味料】

红砂糖……………………125g

【微波炉做法】

1. 紫糯米洗净泡水6小时后沥干水分，放入容器中加水130ml拌匀，覆盖耐热保鲜膜并用牙签戳几个小孔，以强微波加热6分钟后取出。

2. 将做法1的容器内材料搅拌均匀，再封上耐热保鲜膜，改以弱微波加热7分钟后取出，焖15分钟备用。

3. 莲子、桂圆肉、燕麦、红豆、花生洗净，加水1500ml拌匀，覆盖耐热保鲜膜并用牙签戳几个小孔，以强微波加热6分钟，改以弱微波加热12分钟后取出。

4. 再加入做法2的紫糯米及红砂糖，覆盖耐热保鲜膜并用牙签戳几个小孔，以弱微波加热12分钟即可。

【电磁炉做法】

紫糯米洗净泡水6小时后沥干水分，放入不锈钢容器中加水200ml及红砂糖，改中火加热20分钟，再加入其他材料，以弱火煮40分钟即可。

奇异蜜桃蛋糕

【材料】

罐头水蜜桃……1/2颗
奇异果……………1颗
鲜奶油……………适量

【调味料】

A.鸡蛋………………1个
　蛋黄…………1/2个
　细砂糖……………31g
B.低筋面粉………21g
　玉米粉……………4g
C.奶油………………17g
　牛奶………………13g

【微波炉做法】

1. 水蜜桃、奇异果切片备用。
2. 将调味料A置于容器中，取一深锅加入适量的水（水温约38℃，不能太热），将容器放入，以隔水加热的方式，搅拌至细砂糖完全融化。
3. 用打蛋器搅打做法1的材料至颜色变白并呈浓稠状，且有明显纹路（打蛋器勾起时，会在表面上留下痕迹）。
4. 加入已过筛的调味料B，用刮刀拌匀成面糊。
5. 取1/3做法3的面糊，加入融化的奶油及牛奶拌匀，再加入剩下的面糊，充分搅拌均匀后倒入模具中，以中微波加热7分钟即成为蛋糕。
6. 待蛋糕冷却后，用打发之鲜奶油、奇异果片、水蜜桃片装饰即可。

【电磁炉做法】

1. 水蜜桃、奇异果切片备用。
2. 将调味料A置于容器中，取一深锅加入适量的水（水温约38℃，不能太热），将容器放入，以隔水加热的方式，搅拌至细砂糖完全融化。
3. 用打蛋器搅打做法1的材料至颜色变白并呈浓稠状，且有明显纹路（打蛋器勾起时，会在表面上留下痕迹）。
4. 加入已过筛的调味料B，用刮刀拌匀成面糊。
5. 取1/3做法3的面糊，加入融化的奶油及牛奶拌匀，再加入剩下的面糊，充分搅拌均匀后倒入模具中，覆盖耐热保鲜膜，放入加有适量的水的深锅并加盖，以隔水加热的方式，用大火蒸15分钟即成为蛋糕。
6. 待蛋糕冷却后，用打发之鲜奶油、奇异果片、水蜜桃片装饰即可。

备注：因微波炉加热原理之关系，以微波做法做出来之蛋糕，组织会比一般做法硬。

酸奶柠檬蛋糕

【材料】

原味酸奶…………1罐
蓝莓酱……………1罐
罐头菠萝片…………3片
蜜黑枣……………适量
柠檬………………1个
红樱桃……………4颗
鲜奶油……………适量

【调味料】

A.全蛋………1.5个	C.奶油………25.5g	
蛋黄………1个	牛奶………13g	
细砂糖………46.5g	原味酸奶………7g	
B.低筋面粉………31.5g	D.柠檬汁………少许	
玉米粉………6g		

【微波炉做法】

1. 将调味料A置于容器中，另取一深锅先加入适量的水（水温约38℃,不能太热），并将容器放入，以隔水加热的方式，搅拌至细砂糖完全溶化。
2. 用打蛋器搅打至颜色变白并呈现浓稠状，且有明显纹路（打蛋器勾起时，会在表面上留下痕迹）。
3. 加入已过筛的调味料B，用刮刀拌匀成面糊。
4. 取1/3做法3的面糊，加入溶化好的调味料C拌匀，再加入剩下的面糊，充分搅拌均匀，再加入调味料D拌匀，倒入模具中，覆盖耐热保鲜膜，放入加有适量水的深锅中并加盖，以隔水加热的方式，用大火蒸15分钟即成为蛋糕。
5. 待蛋糕冷却后，用打发之鲜奶油、蓝莓酱、原味酸奶、菠萝片、蜜黑枣、柠檬片、红樱桃装饰即可。

【电磁炉做法】

1. 将调味料A置于容器中，另取一深锅先加入适量的水（水温约38℃，不能太热），并将容器放入，以隔水加热的方式，搅拌至细砂糖完全溶化。
2. 用打蛋器搅打至颜色变白并呈现浓稠状，且有明显纹路（打蛋器勾起时，会在表面上留下痕迹）。
3. 加入已过筛的调味料B，用刮刀拌匀成面糊。
4. 取1/3做法3的面糊，加入溶化好的调味料C拌匀，再加入剩下的面糊，充分搅拌均匀，再加入调味料D拌匀，倒入模具中，覆盖耐热保鲜膜，放入加有适量水的深锅中并加盖，以隔水加热的方式，用大火蒸15分钟即成为蛋糕。
5. 待蛋糕冷却后，用打发之鲜奶油、蓝莓酱、原味酸奶、菠萝片、蜜黑枣、柠檬片、红樱桃装饰即可。

鸡蛋布丁

【材料】

鸡蛋·····················2个
水·······················250ml

【调味料】

A.水·····················70ml
　细砂糖··············100g
B.香草精··················5ml
　牛奶··················125ml
C.果冻粉····················6g
　细砂糖················65g

【微波炉做法】

1. 将调味料A搅拌均匀，封上耐热保鲜膜，以牙签戳几个小孔，用强微波加热3分钟变成浓稠状后，倒入模型中备用。

2. 将调味料B倒入容器中，封上耐热保鲜膜，以中微波加热1分15秒取出，再打入鸡蛋混合均匀备用。

3. 将调味料C及水搅拌均匀，封上耐热保鲜膜，以牙签戳几个小孔，用强微波加热3分钟取出，再与做法2的材料混合均匀。

4. 将做法3的材料用筛网过滤后，封上耐热保鲜膜，以牙签戳几个小孔，用强微波加热2分钟，倒入做法1的模型中至9分满，待凉凝固后移入冰箱冷藏即可。

【电磁炉做法】

1. 将调味料A搅拌均匀，倒入平底锅中加热1分半钟，变成浓稠状后，取出倒入模型中备用。

2. 将鸡蛋打散成蛋液，与水及调味料B、C一起放入容器中轻轻搅拌均匀，再用筛网过滤，倒入平底锅中，以弱火加热2分钟。

3. 将做法2的材料倒入做法1的模型中至9分满，待凉凝固后移入冰箱冷藏即可。

图书在版编目（ＣＩＰ）数据

微波炉电磁炉轻松料理 / 董孟修著，－2 版，－汕
头：汕头大学出版社，2004.6
（新手食谱系列）
ISBN 7-81036-726-9

Ⅰ.微... Ⅱ.董... Ⅲ.①微波加热设备－食谱
②电磁炉灶－食谱 Ⅳ. TS972.129.3

中国版本图书馆CIP数据核字（2004）第 004220 号

本书经杨桃文化事业有限公司授权，出版中文简体字
版本。
非经书面同意，不得以任何形式任意重制、转载。

微波炉电磁炉轻松料理

作　　者：董孟修
责任编辑：胡开祥　吕志峰
封面设计：郭　炜
责任技编：姚健燕
出版发行：汕头大学出版社
　　　　　广东省汕头市汕头大学内　　邮编 515063
电　　话：0754-2903126　　0754-2904596
印　　刷：广东信源彩色印务有限公司
　　　　　（原广东邮电南方彩色印务有限公司）
邮购通讯：广州市天河北路 177 号祥龙花园祥龙阁
　　　　　2202 室
电　　话：020-85250482　邮编 510075
开　　本：890×1168　　1/16
印　　张：3
字　　数：20 千字
版　　次：2004 年 6 月第 2 版
印　　次：2004 年 6 月第 1 次印刷
印　　数：20000 册
定　　价：10.00 元
ISBN 7-81036-726-9/TS · 54

版权所有，翻版必究
如发现印装质量问题，请与承印厂联系退换

汕头大学出版社近期推出 [杨桃文化 新手食谱系列]

完整收录各款中西美食，
从经典美味、家常菜色到热门小吃，
带你进入幸福的美食天堂，教你餐餐吃出美味与健康；